Voyage dans un tableau de

Picasso

Pour Victor

Pablo Picasso (1881-1973), *Guernica*, 1937, huile sur toile, 349,3 x 776,6 cm.
Museo Nacional Centro de Arte Reina Sofía, Madrid, Espagne
© THE BRIDGEMAN ART LIBRARY © SUCCESSION PICASSO, 2008

Conception éditoriale : Claire d'Harcourt
Conception graphique et maquette : Loïc Le Gall

ISBN : 978-2-915710-69-4
Dépôt légal : janvier 2008
Loi n° 49-956 du 16 juillet 1949 sur les publications destinées à la jeunesse

Imprimé en Italie par Zanardi
Photogravure : Dupont - Paris

© Éditions Palette… / Le Funambule, 2008

CLAIRE D'HARCOURT

Voyage dans un tableau de Picasso

Palette... / **Le Funambule**

Nous sommes en avril 1937 :

la tristesse et la douleur

ont tout envahi… Noir, blanc, gris :

le peintre espagnol Pablo Picasso

choisit de ne pas utiliser d'autres

couleurs pour dépeindre

l'Horreur.

Noir et blanc…

l'Espagne est en deuil :

aujourd'hui, les avions allemands

viennent de bombarder

la petite ville basque de

GueRnicA.

En trois heures,

la cité est réduite en cendres.

Cette mère vient

de perdre son enfant.

Comme deux larmes,

ses yeux déformés

par le chagrin implorent le ciel.

La langue dressée comme

un couteau, elle pousse un

CRI DÉCHIRANT.

Le cri du cheval lui fait écho.

Avec lui, c'est tout le peuple qui hurle

son désespoir devant tant de

victimes

innocentes.

Même le

décapité qui gît à terre

semble encore crier !

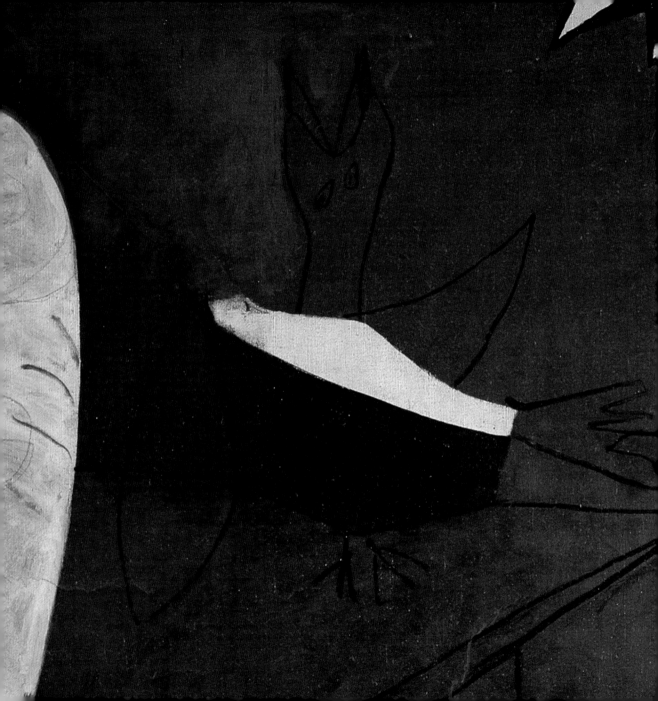

Dans l'ombre, hurle aussi

un étrange oiseau vertical.

L'aile cassée, mortellement blessée,

agonise.

Seul le taureau,

IMPLACABLE,

nous fixe.

Son regard indifférent témoigne

de la force aveugle et brutale.

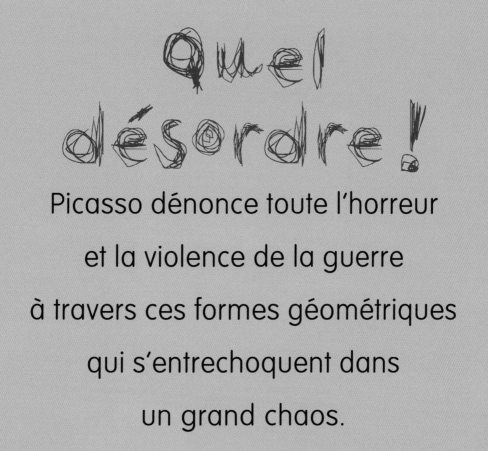

Quel désordre !

Picasso dénonce toute l'horreur

et la violence de la guerre

à travers ces formes géométriques

qui s'entrechoquent dans

un grand chaos.

« AU SECOURS ! »

implore cette main gigantesque.

Armé de son pinceau, Picasso part

en guerre contre la guerre.

Il explose de colère : « Non, la peinture

n'est pas faite pour décorer les appartements,

c'est un instrument de guerre offensif

et défensif contre l'ennemi. »

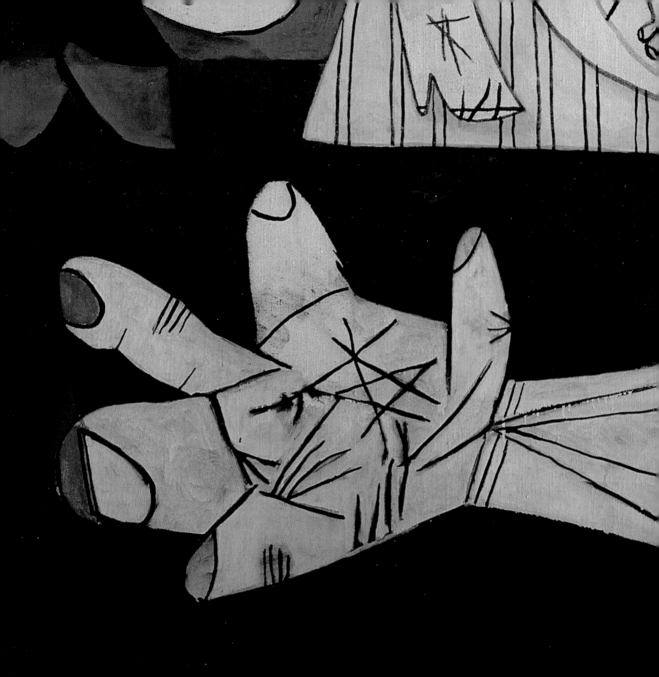

Courbée par la douleur,

les mains vides d'espoir,

une femme s'avance dans le tableau,

trop accablée pour fuir.

Hagarde, elle interroge le ciel :

Mais qui est cette étrange
messagère qui flotte comme
un ange au-dessus de la scène ?
Au bout d'un bras immense,
elle brandit une petite lampe…
une lueur
d'espoir,
une promesse de paix.

plus forte que la haine et la guerre,

comme la fleur qui pousse

sur le glaive brisé de la résistance.

GUE

Pablo Picasso, 1937, h

PABLO PICASSO est né en 1881. Il peint son premier tableau à l'âge de huit ans. Immense artiste, il est à la fois peintre, dessinateur, sculpteur, graveur, et céramiste. Créateur du cubisme, Picasso ne cherche pas à reproduire la réalité. Se moquant des proportions, il simplifie et décompose les formes, tord les visages, disloque les corps. De profil et de face : il peint tous les angles d'un sujet à la fois. Picasso est en France lorsqu'il apprend le tragique événement du bombardement de Guernica. Touché et révolté, il exécute une centaine d'études préparatoires et achève une fresque monumentale en moins de deux mois. Devenu l'un des tableaux les plus célèbres de l'histoire de l'art, *Guernica* symbolise de façon universelle l'horreur de la guerre. Pablo Picasso réalise plus de 30 000 œuvres durant toute sa carrière. Il meurt en 1973 à l'âge de 92 ans.

TOUS LES PETITS TABLEAUX QUI ONT ILLUSTRÉ CE LIVRE
NE SONT QUE DES DÉTAILS D'UNE IMMENSE TOILE DE
3,50 MÈTRES DE HAUT ET 7,50 MÈTRES DE LARGE...
QUE TU DÉCOUVRIRAS EN OUVRANT CE DÉPLIANT.